# LES PLUS BELLES CHANSONS ANGLAISES ET AMÉRICAINES

## ILLUSTRATIONS

Samuel Ribeyron couverture, p.6, 10, 14, 18, 22, 26, 32, 36, 40

Charlotte Labaronne p.4, 8, 12, 16, 20, 24, 28, 30, 34, 38

Cécile Hudrisier p. 45-54 (gestuelles)

## COLLECTAGE ET COMMENTAIRES

Jeanette Loric
responsable pédagogique des Mini-Schools et rédactrice en chef de Mini-Schools magazine

Didier Jeunesse
Les Petits cousins

Do your ears hang low, Do they wob-ble to and fro? Can you

tie them in a knot, Can you tie them in a bow? Can you

fling them o-ver your shoul-der Like a Con-ti-nen-tal soldier, Do your ears hang low?

## DO YOUR EARS HANG LOW?

Do your ears hang low,
Do they wobble to and fro?
Can you tie them in a knot,
Can you tie them in a bow?
Can you fling them over your shoulder
Like a Continental soldier,
Do your ears hang low?

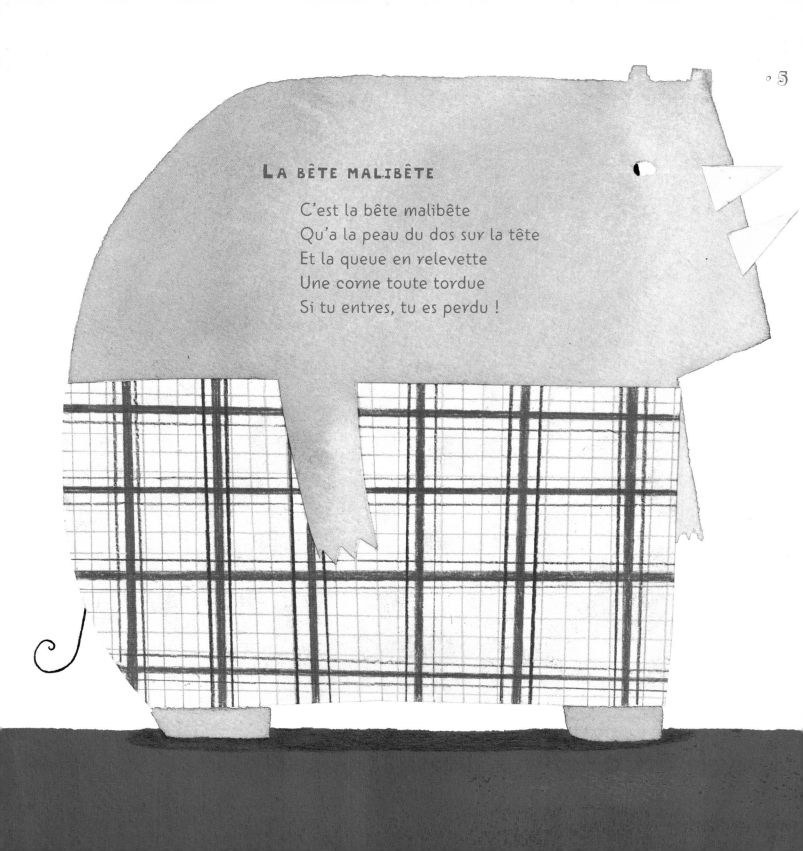

## LA BÊTE MALIBÊTE

C'est la bête malibête
Qu'a la peau du dos sur la tête
Et la queue en relevette
Une corne toute tordue
Si tu entres, tu es perdu !

## THE BEAR WENT OVER THE MOUNTAIN

The bear went over the mountain {ter}
And what do you think he saw? {ter}

He saw another mountain {ter}
And what do you think he did? {ter}

He climbed the other mountain {ter}
And what do you think he saw? {ter}
{Ad libitum}

## SKIP TO MY LOU

Skip, skip, skip to my Lou {ter}
Skip to my Lou, my darling!

Lost my partner, what'll I do?...
I'll find another one, prettier too...
Flies in the sugar bowl shoo, shoo, shoo...

Skip, skip, skip to my Lou, Skip, skip, skip to my Lou,

Skip, skip, skip to my Lou, Skip to my Lou my dar - ling!

Lost my part - ner, what 'll I do? Lost my part - ner, what 'll I do?

Lost my part - ner, what 'll I do? Skip to my Lou my dar - ling!

## NOUS N'IRONS PLUS AU BOIS

Nous n'irons plus au bois
Les lauriers sont coupés
La belle que voilà
Les a tous ramassés

Refrain :
Entrez dans la danse
Voyez comme on danse
Sautez, dansez
Embrassez qui vous voudrez

La belle que voilà
La laisserons-nous danser
Et les lauriers du bois
Les laisserons-nous faner ?

# BINGO

There was a farmer had a dog
And Bingo was his name-O
B-I-N-G-O {ter}
And Bingo was his name-O

There was a far-mer had a dog And Bin-go was his name-O

B-I-N-G-O   B-I-N-G-O   B-I-N-G-O And Bin-go was his name-O

## MON MARRONNIER

L'autre jour sous mon marronnier
J'étais allé me reposer
Les moustiques m'ont piqué
J'ai dû quitter
Mon marronnier

L'au - tre jour sous mon mar - ron - nier, J'é - tais al - lé me re - po - ser,

Les mous - ti - ques m'ont pi - qué, J'ai dû quit - ter Mon mar - ron - nier.

## JOHN BROWN'S BABY

John Brown's baby's got a cold upon his chest {ter}
So they rubbed it with camphorated oil

Camphor – amphor – amphor – ated {ter}
So they rubbed it with camphorated oil

## GOBIDA GOBIDU

Mon père avait un champ de pois
Ben dibidu gob gobidabidu
Mon père avait un champ de pois
Gobida gobidu ben ben dibidu
Gob gobidabidu

Tous les matins j'en mangeais trois...
J'en fus malade pendant trois mois...
Trois médecins vinrent me voir...
Le premier dit que j'en mourrais...
Le deuxième dit que j'guérirais...
Le troisième dit que j'me'marierais...

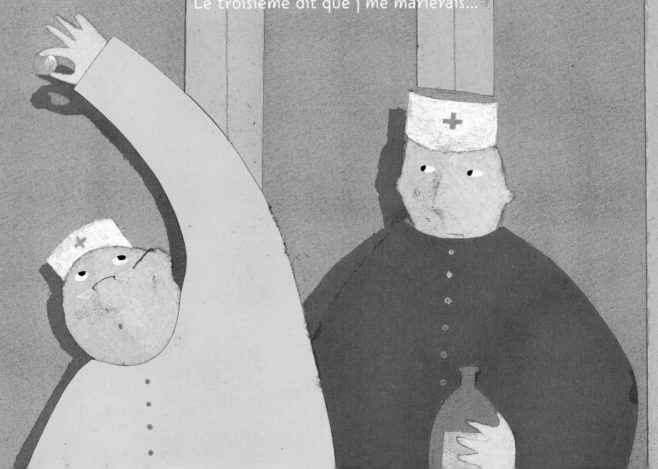

Yan-kee Doo-dle came to town - Rid-ing on a po-ny, He stuck a feath-er in his cap and called it Ma-ca-ro-ni! Yan-kee Doo-dle keep it up, Yan-kee Doo-dle dan-dy, Mind the mu-sic and the step And with the girls be han-dy!

Paroles et musique de Richard Schuckburgh et Edward Banks

## YANKEE DOODLE

Yankee Doodle came to town
Riding on a pony
He stuck a feather in his cap
And called it "Macaroni"!

Refrain :
Yankee Doodle, keep it up,
Yankee Doodle dandy,
Mind the music and the step
And with the girls be handy!

Father and I went down to camp
Along with Captain Gooding
And there we saw the men and boys
As thick as hasty pudding

And there was Captain Washington
Upon a slapping stallion
A-giving orders to his men
I guess there were a million

I gave my love a cher-ry that had no stone, I gave my love a chick-en that had no bone, I told my love a stor-y that had no end, I gave my love a ba-by with no cry - ing.

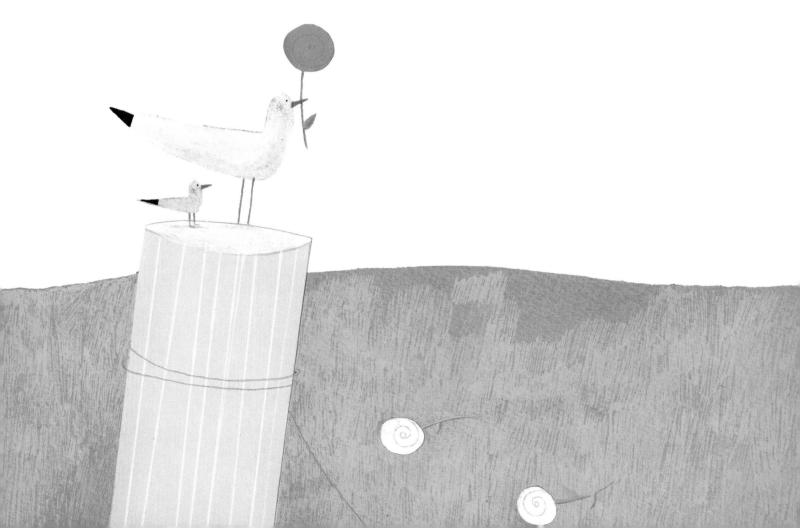

## THE RIDDLE SONG

I gave my love a cherry that had no stone
I gave my love a chicken that had no bone
I told my love a story that had no end
I gave my love a baby with no crying

A cherry when it's blooming, it has no stone
A chicken when it's piping, it has no bone
The story that I love you, it has no end
A baby when it's sleeping, it's no crying

## QUI PEUT FAIRE DE LA VOILE SANS VENT ?

Qui peut faire de la voile sans vent ?
Qui peut ramer sans rames ?
Et qui peut quitter son amie
Sans verser de larmes ?

Je peux faire de la voile sans vent
Je peux ramer sans rames
Mais ne peux quitter mon amie
Sans verser de larmes

# RIG-A-JIG JIG

As I was walking down the street
Down the street, down the street
A pretty girl* I chanced to meet
Heigh-ho, heigh-ho, heigh-ho!

Rig-a-jig jig and away we go
Away we go, away we go
Rig-a-jig jig and away we go
Heigh-ho, heigh-ho, heigh-ho!

{*reprendre avec « a charming boy »}

## LA FILLE DU COUPEUR DE PAILLE

Sur mon chemin j'ai rencontré
La fille* du coupeur de paille
Sur mon chemin j'ai rencontré
La fille du coupeur de blé
Oui, oui, j'ai rencontré
La fille du coupeur de paille
Oui, oui, j'ai rencontré
La fille du coupeur de blé

{*reprendre avec « le fils »}

# SOMEONE'S IN THE KITCHEN WITH DINAH

Someone's in the kitchen with Dinah
Someone's in the kitchen, I know-o-o-o
Someone's in the kitchen with Dinah
Strumming on the old banjo

And singing
Fee, fie, fiddle-ee-i-o...

Fee, plonk, fie, plonk, fiddle-ee-i-o, plonk...

· 21

# C'est Gugusse avec son violon

C'est Gugusse
Avec son violon
Qui fait danser les filles {bis}
C'est Gugusse
Avec son violon
Qui fait danser les filles et les garçons

Mon papa ne veut pas
Que je danse, que je danse
Mon papa ne veut pas
Que je danse la polka
Il dira ce qu'il voudra
Moi je danse, moi je danse
Il dira ce qu'il voudra
Moi je danse la polka !

C'est Gu-gusse___ A-vec son vi - o - lon Qui fait dan-ser les fil - les Qui

fait dan-ser les fil - les. C'est Gu-gusse___ A-vec son vi - o - lon Qui

fait dan-ser les filles et les gar - çons. Mon pa-pa ne veut pas Que_ je dan-se
Il di-ra ce qu'il vou-dra Moi_ je dan-se

que_ je dan-se, Mon pa-pa ne veut pas Que_ je dan-se la pol-ka.
moi_ je dan-se, Il di-ra ce qu'il vou-dra, Moi_ je dan-se la pol-ka du roi!

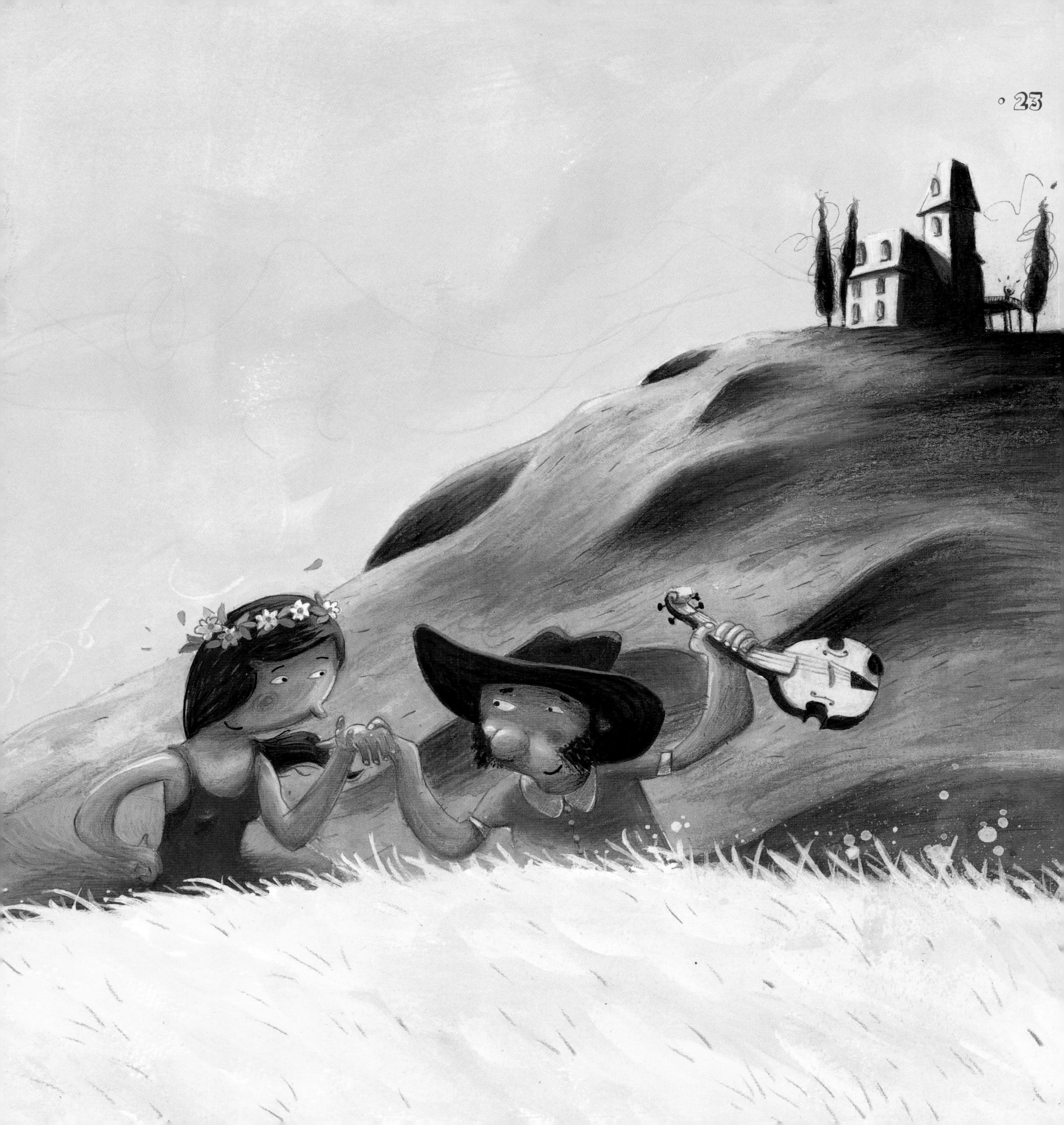

### JIMMY CRACK CORN

Jimmy crack corn and I don't care {ter}
My master's gone away

Right hand up and I don't care...
Left hand up and I don't care...
Both hands up and I don't care...

Jim-my crack corn and I don't care   Jim-my crack corn and I don't care

Jim-my crack corn and   I don't care   My mas-ter's gone a - way.

Paroles et musique de Daniel Emmett

## À DROITE, À GAUCHE

À droite, à gauche
Regarde de-ci, regarde de-là
À droite, à gauche
Encore de-ci, encore de-là
Prends ma main et viens danser
Et tourne en rond d'un pied léger
L'autre main et puis changez
Et nous dansons heureux et gais

À droi - te, à gau - che, Re - gar - de de-ci, re - gar - de de-là. À

droi - te, à gau - che, En - co - re de-ci, en - co - re de - là.

Prends ma main et viens dan - ser Et tourne en rond d'un pied lé - ger.

L'au - tre main et puis chan - gez Et nous dan - sons heu - reux et gais.

## APPLES AND BANANAS

I like to eat*, eat, eat apples and bananas {bis}
{* reprendre avec ate, eet, ite, oat, oot...}

I like to eat, eat, eat ap-ples and ba-na-nas. I like to

eat, eat, eat ap-ples and ba-na-nas.

## TOUS LES LÉGUMES

Tous les légumes
Au clair de lune
Étaient en train de s'amuser-é

Ils s'amusaient-è
Tant qu'ils pouvaient-è
Et les passants les regardaient-è

Un cornichon tournait en rond
Une pomme de terre
Sautait en l'ai-ai-air

Un artichaut faisait de petits sauts
Un salsifis valsait sans bruit
Et le chou-fleur
Se dandinait avec ardeur-eur !

Tous les lé-gu-mes,  Au clair de lu - ne,  É-taient en train de s'a-mu-

ser-é.  Ils s'a-mu-saient-è, Tant qu'ils pou-vaient-è, Et les pas-sants les re-gar-daient-è.

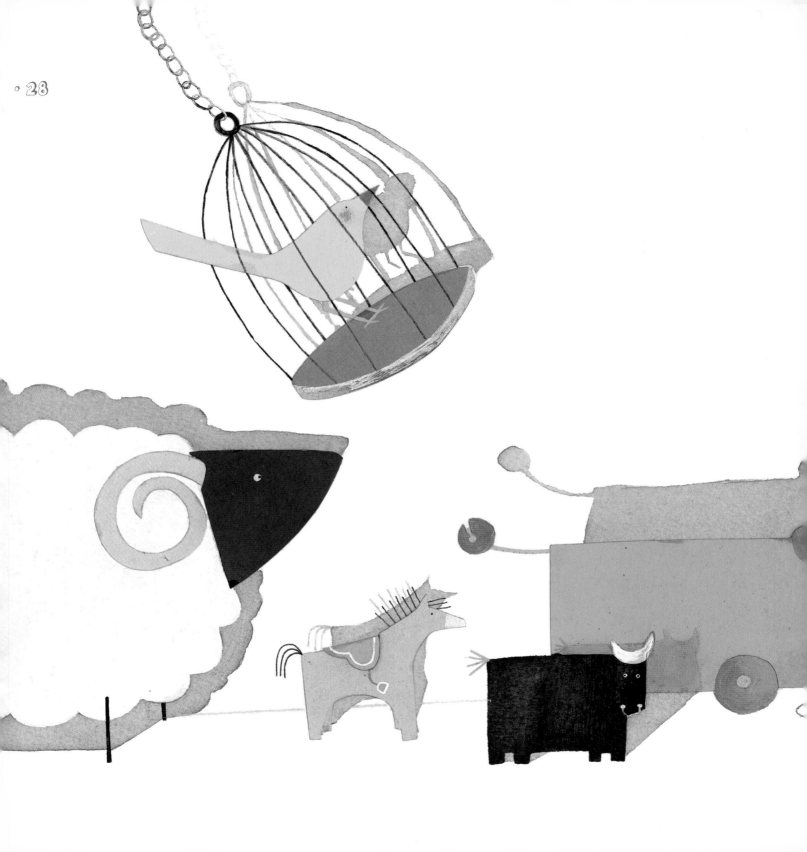

# HUSH, LITTLE BABY

Hush, little baby, don't say a word
Papa's going to buy you a mocking-bird

And if that mocking-bird won't sing
Papa's going to buy you a diamond ring

If that diamond ring turns brass
Papa's going to buy you a looking glass

If that looking glass gets broke
Papa's going to buy you a billy goat

If that billy goat won't pull
Papa's going to buy you a cart and bull

If that cart and bull turn over
Papa's going to buy you a dog named Rover

If that dog named Rover won't bark
Papa's going to buy you a horse and cart

If that horse and cart fall down
You'll still be the sweetest little baby in town!

Hush, little ba-by don't say a word Pa-pa's going to buy you a mo-cking-bird.

## OH WHERE HAS MY LITTLE DOG GONE?

Oh where, oh where has my little dog gone?
Oh where, oh where can he be?
With his ears cut short and his tail cut long
Oh where, oh where is he?

Oh where, oh where has my lit-tle dog gone? Oh
where, oh where can he be? With his ears cut short and his
tail cut long, Oh where, oh where is he?

Paroles et musique de Septimus Winter

## MON PETIT LAPIN

Mon petit lapin s'est sauvé dans le jardin
Cherchez-moi coucou coucou, je suis caché sous un chou

Remuant son nez, il se moque du fermier
Cherchez-moi coucou coucou, je suis caché sous un chou

Tirant ses moustaches, le fermier passe et repasse
Mais ne trouve rien du tout, et lapin mange le chou

# SHORT'NIN' BREAD

Three little children lyin' in bed
Two were sick and the other 'most dead
Sent for the doctor, the doctor said
"Feed those children on short'nin' bread"

Put on the skillet, put on the lid
Mammy's gonna bake a little short'nin bread
That ain't all she's gonna do
Mammy's gonna make a little coffee too

Refrain :
Mammy's little baby loves short'nin', short'nin'
Mammy's little baby loves short'nin' bread ⎫ bis

Go tell Aunt Rho - dy, Go tell Aunt Rho - dy,

Go tell Aunt Rho - dy, Her old grey goose is dead.

## GO TELL AUNT RHODY

Go tell Aunt Rhody {ter}
Her old grey goose is dead

The one she's been saving {ter}
To make a feather bed

She died in the mill pond {ter}
Standing on her head

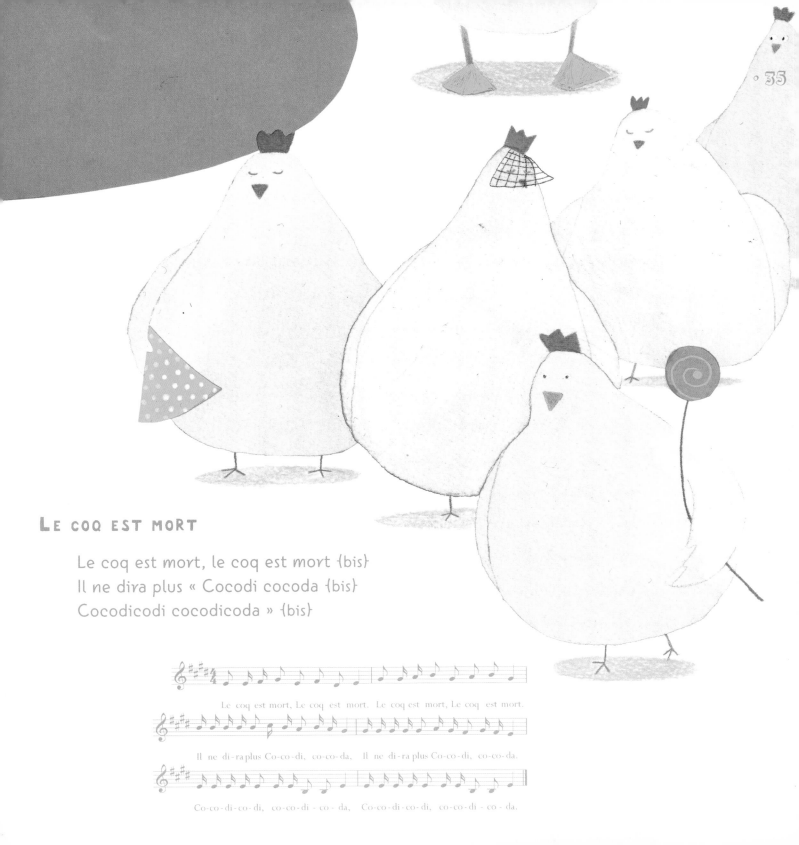

## LE COQ EST MORT

Le coq est mort, le coq est mort {bis}
Il ne dira plus « Cocodi cocoda {bis}
Cocodicodi cocodicoda » {bis}

Le coq est mort, Le coq est mort. Le coq est mort, Le coq est mort.

Il ne di-ra plus Co-co-di, co-co-da, Il ne di-ra plus Co-co-di, co-co-da.

Co-co-di-co-di, co-co-di - co-da, Co-co-di-co-di, co-co-di - co-da.

Five lit-tle chick-a-dees pee-ping at the door, One flew a-way and

then there were four. Chick-a-dee, chick-a-dee, hap-py and

gay, Chick-a-dee, chick-a-dee, fly a-way.

### FIVE LITTLE CHICKADEES

Five little chickadees peeping at the door
One flew away and then there were four
Chick-a-dee, chick-a-dee, happy and gay
Chick-a-dee, chick-a-dee, fly away

Four little chickadees sitting on a tree...
Three little chickadees looking at you...
Two little chickadees sitting in the sun...

One little chickadee left all alone
It flew away and then there were none...

## CINQ MÉSANGES VERTES

Cinq mésanges vertes
Font des pirouettes
L'une se casse la patte
Y'en a plus que quatre

Quatre mésanges vertes
Sur une branchette
L'une s'envolera
Y'en a plus que trois

Trois mésanges vertes
S'en vont à la fête
L'une se pince la queue
Y'en a plus que deux

Deux mésanges vertes
Chantent à tue-tête
Vient le clair de lune
Y'en a plus qu'une

Une mésange verte
Triste et bien seulette
Mais voilà le loup
Y'en a plus du tout

### POLLY-WOLLY-DOODLE

Oh, a grasshopper sitting on a railroad track
    Singing "Polly-wolly-doodle" all the day
      A-pickin' his teeth with a carpet tack
    Singing "Polly-wolly-doodle" all the day

           Refrain :
    *Fare thee well, fare thee well*
    *Fare thee well, my fairy fay*
    Oh, I'm off to Louisiana
    For to see my Susy Anna
Singing "Polly-wolly-doodle" all the day

Behind a barn, down on my knees
Singing "Polly-wolly-doodle" all the day
I thought I heard a chicken sneeze
Singing "Polly-wolly-doodle" all the day

He sneezed so hard with his whooping cough
Singing "Polly-wolly-doodle" all the day
He sneezed his head and his tail right off
Singing "Polly-wolly-doodle" all the day

Oh, a grass-hop-per sit-ting on a rail-road track Sing-in'
"Pol-ly-wol-ly-doo-dle" all the day, A- pickin' his teeth with a car-pet tack Sing-in'
"Pol-ly-wol-ly-doo-dle" all the day. Fare thee well, fare thee well, fare thee
well my fai-ry fay Oh, I'm off to Lou-i-sia-na For to
see my Su-sy An-na Sing-in' "Pol-ly-wol-ly-doo-dle" all the day.

# BONSOIR, MADAME LA LUNE

Bonsoir, Madame la Lune
Que faites-vous donc là ?
J'fais mûrir des prunes
Pour tous ces enfants-là

Bonjour, Monsieur le Soleil
Que faites-vous donc là ?
J'fais mûrir des groseilles
Pour tous ces enfants-là

## MISTER SUN

Oh Mister Sun, Sun, Mister Golden Sun
Please shine down on me
Oh Mister Sun, Sun, Mister Golden Sun
Hiding behind a tree
These little children are asking you
To please come out so we can play with you
Oh Mister Sun, Sun, Mister Golden Sun
Please shine down on me

Oh Mister Moon, Moon, bright and silvery moon
Please shine down on me
Oh Mister Moon, Moon, bright and silvery moon
Come from behind that tree
I like to ramble, I like to roam
But I like to find myself at home
When the moon, moon, bright and silvery moon
Comes shining down on me

# LES COMMENTAIRES

## INTRODUCTION

Cet album-CD présente des chansons françaises, anglaises et américaines. Issues de la tradition orale, leur origine est très lointaine. On les retrouve dans toutes les cultures du monde. D'une langue à l'autre, comptines et chansons sont cousines et nous nous sommes amusés à les marier. Les correspondances peuvent être thématiques, musicales ou gestuelles... Mais toutes nous parlent le langage du plaisir et de la poésie !

### Des Nursery Rhymes...

Par-delà les océans, petits Anglais et petits Américains ont un répertoire commun. Les comptines apprises par les petits Américains, les *Mother Goose Songs*, sont le plus souvent issues du répertoire anglais, les *Nursery Rhymes*. Ces « chansons de ma mère l'Oye » doivent leur appellation à une collection populaire de comptines américaines du début du XIXe siècle, elle-même inspirée par le titre du recueil de Perrault (*Contes de ma mère l'Oye*, 1697).

### ... aux Folk Songs

Genre musical de tradition populaire (chansons de marins, de paysans, d'ouvriers), le folk est accompagné par la guitare, le violon, le banjo, l'harmonica... Le répertoire des *Folk Songs* s'est nourri d'influences indienne, européenne et afro-américaine. Les premiers colons introduisent sur le continent américain des chansons européennes. Ainsi, la plupart des *ballads* sont d'origine anglaise, écossaise ou irlandaise. Elles nous parlent d'amour, de mort, d'honneur et de trahison.

Transmises de génération en génération, les *Folk Songs* demeurent longtemps au cœur de la vie familiale et communautaire. On observe un véritable *folk revival* dans les années cinquante et soixante. John Lomax en a été le premier artisan. Archiviste passionné, il publie dès 1910 le premier recueil de *Folk Songs* américaines, *Cowboy Songs and Other Frontier Ballads*, popularisant ainsi la *western music* et les thèmes agricoles. Il fait également connaître les compositions inspirées par les progrès de l'industrie au Nord et la construction du chemin de fer. À partir des années quarante, il lance les premiers grands chanteurs folk, Woody Guthrie et Pete Seeger. Dans les années soixante, des artistes comme Peter, Paul & Mary, Joan Baez et Bob Dylan rendent le genre célèbre dans le monde entier. Les enfants sont très réceptifs à ces chansons qui leur parlent de leur culture et de leur histoire. Woody Guthrie appelle d'ailleurs les *Children Folk Songs* les *Songs to grow on* (chansons pour grandir).

### POURQUOI PRÉSENTER AUX JEUNES ENFANTS DES CHANSONS EN LANGUE ÉTRANGÈRE ?

Il faut d'abord redire toute la richesse de cette vieille tradition orale transmise par l'entourage de l'enfant. Il écoute, puis mime et chante ces textes et devient ainsi sensible au rythme, à la saveur de sa langue maternelle, à la poésie et à l'humour de sa culture.

À partir de cette tradition musicale, nous souhaitons lui proposer une ouverture vers une autre langue, une autre culture, par un lent processus d'imprégnation. En effet, les jeunes enfants ont encore une souplesse qui leur permet d'imiter et d'assimiler avec facilité toutes les intonations des langues étrangères. Il ne s'agit pourtant pas d'un « apprentissage » systématique : ces jeux, à la fois corporels et verbaux, doivent rester spontanés, fondés sur un climat de confiance et de complicité.

Nous souhaitons offrir à l'enfant une « sensibilisation » plus qu'une véritable « initiation » à l'anglais. C'est tout le plaisir de communiquer qui incitera l'enfant à dire et redire ces textes sans cesse et, au-delà des quelques jeux qu'ils entraînent, à comprendre et mémoriser de manière intuitive cette autre langue.

## CERTAINS ACCENTS NE SONT-ILS PAS DIFFICILES POUR LES ENFANTS ?

Au contraire ! Comptines et chansons permettent de découvrir l'anglais de façon ludique. Les enfants adorent s'emparer des accents savoureux, et notamment de l'accent américain (qu'ils imitent dans *Mes oreilles tombent-elles ?* ou *Je rent' dans mon étable*).

## OÙ SONT LES TRADUCTIONS ?

Les traductions des textes français et anglais figurent à la fin du livre, et non à côté des paroles originales. C'est délibéré. Il est préférable en effet d'aborder une langue étrangère sans le recours systématique à la traduction.

On garde ainsi toute la saveur de la version originale, on évite la répétition inhérente à la traduction et surtout on n'isole pas les mots du contexte qui leur donne un sens puisque l'on propose à l'enfant de parler en situation (ici, en situation de jeu) ; actif, il perfectionne ainsi son imitation et intègre comme un réflexe la syntaxe, la prononciation et le sens de la langue étrangère.

## COMMENT LES COMPTINES ET CHANSONS SE RÉPONDENT-ELLES ?

Cet album est conçu pour inciter l'enfant, sollicité et accompagné par l'adulte, à établir des correspondances entre les différents repères dont il dispose avec le livre, le CD et surtout avec le jeu vécu à partir des différentes chansons. Les comptines présentent plusieurs types de correspondances :

– correspondances gestuelles

L'enfant connaît généralement les comptines et chansons françaises ainsi que la gestuelle, la ronde ou la danse qui les accompagne, proche de celle des cousines anglaises et américaines. C'est grâce à ces activités communes que l'enfant aborde les comptines et chansons, les comprend puis les mémorise.

– correspondances thématiques

Les sujets traités par les chansons françaises d'une part, anglaises et américaines associées d'autre part sont souvent proches et donnent à l'enfant des indices sur le contenu des textes en langue étrangère.

– correspondances visuelles

Les illustrations sont des clefs de compréhension véritables car elles donnent à la fois une vision globale de l'histoire et des détails sur les lieux et/ou les personnages.

– correspondances sonores

Le CD propose, lui aussi, une illustration sonore significative par le choix des instruments, les arrangements, l'interprétation et les bruitages.

Mais l'enfant ne pourra s'aider de toutes ces correspondances que dans une situation vécue. L'adulte comme l'enfant doivent donc être actifs et jouer avec leur corps de façon aussi expressive que possible. En effet, pour comprendre, l'enfant a besoin d'expérimenter par son corps. Dans les premières comptines (jeux avec l'adulte, chansons mimées), les gestes sont un soutien solide car ils sont très proches du sens du texte.

## À QUEL ÂGE PEUT-ON COMMENCER ?

Il n'y a pas de réponse unique à cette question. On peut évidemment chanter et faire écouter dès le berceau les chansons et les berceuses. Les comptines suivent tout naturellement le développement général de l'enfant. Faites confiance à vos intuitions. Allez vers ce qui motive votre enfant, ce qui aiguise sa curiosité. Les chansons présentées ici s'adressent aussi aux plus grands, dans le cadre scolaire par exemple. Devant un groupe, le rythme sera différent, les activités pourront être plus variées et les jeux collectifs prendront un autre relief.

## UNE SENSIBILISATION À UNE AUTRE LANGUE PEUT-ELLE CONCERNER TOUS LES ENFANTS ?

Cette richesse culturelle s'affirme aujourd'hui comme une nécessité. Tous les enfants, et pas seulement ceux des familles « bilingues », sont concernés. Une approche précoce par le jeu favorise l'assimilation d'une langue étrangère.

43

À l'école comme dans la famille, on peut inviter les enfants à en faire la découverte. Plus tôt l'enfant aura été mis au contact d'une langue étrangère, moins il développera de blocages dans ses futurs apprentissages et plus il comprendra le jeu qui existe d'une langue à l'autre.

### QUEL EST LE RÔLE DE L'ADULTE DANS CETTE DÉCOUVERTE ?

Pour créer chez l'enfant le désir de communiquer dans une langue étrangère, l'adulte doit lui-même exprimer son propre plaisir de découvrir cette langue avec lui. Comme on le fait naturellement en français, on peut donc jouer et mimer ces chansons anglaises et américaines aux moments privilégiés d'échange, fréquents dans la vie de l'enfant.

Il faut aussi très vite mémoriser les paroles et les gestes des jeux pour les retrouver spontanément. Pour aider l'enfant, il est en effet très important de savoir « parler avec son corps ». La qualité des gestes de l'adulte (expressivité du visage, des mains, du corps) est primordiale pour la compréhension. L'adulte peut être amené à répondre à un enfant qui l'interroge sur la signification précise des textes. On en fera alors le récit en évitant une traduction mot à mot. Mais sur-

tout, on exploitera toute situation nouvelle qui permet de réutiliser, dans un autre contexte, les termes et expressions déjà rencontrés dans les comptines et chansons.

### COMMENT UTILISER LES DIFFÉRENTS SUPPORTS ?

Les différents supports (livre et CD) sont à la fois complémentaires et indépendants. Pour découvrir le sens des comptines et chansons, on peut bien sûr utiliser en même temps le livre et le CD. Mais l'écoute du CD entier demande du temps. Il semble donc difficile de suivre page à page sur le livre avec de jeunes enfants. Très vite, on exploitera donc séparément le livre et le CD.

Avec l'album, l'enfant explore les illustrations et peut retrouver, de mémoire, les comptines et chansons françaises ou américaines qu'il commence à connaître. Avec le CD, il peut profiter de la musique et chanter avec d'autres enfants, s'entraînant ainsi à mémoriser les textes.

### QUELLES EXPLOITATIONS PEUT-ON FAIRE DE CES COMPTINES ET CHANSONS ?

Certaines comptines se prêtent bien à une mise en scène. Avec des objets parfois très simples (marionnettes, peluches, poupées...) ou pourquoi pas en dessinant, l'adulte invente une situation de communication très riche. On joue les différents personnages et,

avec eux, on invente dialogues et récits créant ainsi un véritable « bain de langage ».

D'autre part, avec les explications des jeux traditionnels, nous présentons dans ces commentaires quelques suggestions pour en inventer d'autres, en particulier en anglais, car les comptines et chansons peuvent être utilisées pour des jeux toujours renouvelés.

Michèle Moreau

Do your ears...

hang...

low,

Do they wobble to and fro?

Can you tie them in a knot,

Can you tie them in a bow?

Can you fling them over your shoulder

Like a Continental soldier...

**Do your ears hang low?**

page 4

Cette chanson à mimer, dont le rythme s'accélère progressivement, apprend aux enfants à coordonner paroles et gestes. Proposée ici dans sa version courte, elle peut se décliner en multiples couplets. En voici trois autres :

*Do your ears hang high?*
*Do they reach up to the sky?*
*Do they droop when they are wet?*
*Do they stiffen when they're dry?*
*Can you semaphore your neighbor*
*With a minimum of labor?*
*Do your ears hang high?*

*Do your ears flip-flop?*
*Can you use them for a mop?*
*Are they stringy at the bottom?*
*Are they curly at the top?*
*Can you use them for a swatter?*
*Can you use them for a blotter?*
*Do your ears flip-flop?*

*Do your ears hang out?*
*Can you waggle them about?*
*Can you flip them up and down*
*As you fly around the town?*
*Can you shut them up for sure*
*When you hear an awful bore?*
*Do your ears hang out?*

Sa version française est très appréciée des petits, qui s'amusent à imiter l'accent américain en mangeant les *r* :

*Mes oreilles tombent-elles ?*
*Saurais-tu les ramasser ?*
*Les entortiller ou bien les nouer ?*

*Les passer par-dessus l'épaule*
*En visière de pompier ?*
*Mes oreilles tombent-elles ?*

Le *Continental soldier* désigne un soldat européen – britannique ou français – moqué pour ses grandes oreilles. On dit que dans sa version première et grivoise, la chanson n'évoquait pas les oreilles mais plutôt une autre partie du corps masculin !

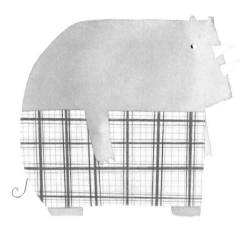

**La bête malibête**

page 5

Comme sa cousine, cette formulette d'élimination, centrée sur le corps et sur l'énumération des différents éléments qui le composent, amuse beaucoup les enfants. Pour l'accompagner, les enfants tapent dans les mains (ou sur les cuisses) en scandant *C'est/la/bête/mal/i/bête*, lentement d'abord, puis de plus en plus vite. Cette figure de la bête malibête, monstre issu d'un conte oral poitevin, prête autant à rire (avec sa *queue en relevette* et sa *corne toute tordue*) qu'à faire peur (*Si tu entres, tu es perdu !*).

### The bear went over the mountain
page 6

Cette histoire cocasse nous vient sans doute des pionniers. Pour conquérir de nouvelles terres à l'Ouest, beaucoup traversaient les Appalaches, une chaîne de montagnes qui devait leur sembler interminable puisqu'ils voyageaient à pied ou à cheval !

Le jeu de questions-réponses permet aux enfants de reconnaître la syntaxe et l'intonation propres aux formes interrogatives et affirmatives. Puis, à mesure que leur vocabulaire s'enrichit, ils peuvent inventer de nouvelles questions et réponses. On peut aussi proposer aux filles de chanter les questions et aux garçons de chanter les réponses, afin d'apprendre aux enfants à respecter un temps et un tour de parole.

### Skip to my Lou
page 8

Dans cette ronde, un enfant doit rester au centre. Au deuxième couplet, il choisit un partenaire. Tous deux vont alors à l'extérieur de la ronde et tournent autour d'elle. Quand le troisième couplet commence, la ronde se reforme autour d'un nouvel enfant.

Il existe une multitude de couplets très variés, dont voici trois exemples :

*Fly's in the buttermilk,*
*Shoo, fly, shoo,*
*Skip to my Lou, my darlin'*

*Cat's in the cream jar,*
*Ooh, ooh, ooh,*
*Skip to my Lou, my darlin'*

*Off to Texas,*
*Two by two,*
*Skip to my Lou, my darlin'*

Dans l'Amérique du XIX^e siècle, surtout dans les communautés du Middle West, il n'était pas permis aux jeunes gens de danser. La danse, liée à la conscience du corps et à l'éveil de la sensualité, était en effet considérée comme un péché par les Quakers et autres communautés religieuses aux mœurs sévères. Les jeunes gens demandaient alors aux parents l'autorisation d'organiser des *play parties* au cours desquelles on inventait de nouveaux divertissements en se contentant de frapper dans les mains, de sautiller... *Skip to my Lou* est l'un de ces jeux, très prisés à l'époque.

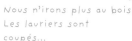

*Nous n'irons plus au bois
Les lauriers sont coupés...*

*Entrez dans la danse
Voyez comme on danse
Sautez, dansez...*

*Embrassez qui vous voudrez*

*La belle que voilà
La laisserons-nous danser...*

*Skip, skip, skip to my Lou...*

*Lost my partner, what'll I do?...*

*Skip, skip, skip to my Lou...*

### Nous n'irons plus au bois
page 9

Les enfants sont invités à former une ronde. À chaque reprise, un des enfants vient se placer en son centre. Il choisit celui ou celle qui a sa préférence et l'embrasse avant de prendre sa place. L'élu(e) se place à son tour au centre du cercle pour le couplet suivant.

*Nous n'irons plus au bois*, présente dans tous les recueils classiques, inspira même le compositeur Debussy (*Jardins sous la pluie*, 1903).

Avant d'entrer dans le répertoire enfantin, elle appartenait à l'origine à celui des « brunettes ». Ces chansons d'amour, le plus souvent anonymes, nées au XVIIIe siècle, étaient des œuvres simples, au climat pastoral convenu. Les mélodies pouvaient être harmonisées à deux ou trois voix. À cette époque, le bois était propice au badinage. Dans un coin du bois de Boulogne planté de lauriers, les amoureux se retrouvaient loin des regards indiscrets. Mais quand on taillait les arbustes...

### Bingo
page 10

*Bingo* est l'une des plus célèbres comptines américaines. Elle met en scène un fermier, figure essentielle du folklore d'un grand pays agricole, et son fidèle compagnon. Aux États-Unis, *Bingo* est un nom de chien très répandu, l'équivalent de notre *Médor* !

Les enfants chantent cette comptine une première fois entièrement. Ensuite, ils la reprennent et frappent une fois dans les mains au lieu de prononcer le *B* de *Bingo*. Le tour suivant, ils frappent deux fois dans les mains au lieu de prononcer les lettres *B* et *I*. Et ainsi de suite... jusqu'à ce qu'ils aient frappé cinq fois dans leurs mains au lieu d'épeler le nom du chien. En accélérant le tempo à chaque reprise, les enfants apprennent à moduler leur débit, à distinguer les phonèmes et à travailler l'articulation : un petit jeu auquel ils se prêtent volontiers !

On connaît cette autre version de *Bingo*, dont les paroles varient légèrement :

*Oh, Farmer Brown, he had a dog,*
*And Bingo was its name-O...*

### Mon marronnier
page 11

Dans cette chanson à bruiter, chaque situation énoncée est associée à un son ou à une onomatopée. Après avoir chanté l'ensemble des paroles de la comptine une première fois, les enfants la reprennent en remplaçant le mot *marronnier* par trois claquements de langue, le mot *reposer* par trois ronflements, *mous-*

tiques par *bzz, bzz*, piqué par *pique, pique !* ou *aïe !* et *quitter* par *vroum, vroum.*

### John Brown's baby
page 12

Avant la guerre de Sécession, John Brown, gentleman blanc originaire du Connecticut, militait déjà contre l'esclavage pratiqué dans les états du Sud. Il organisa d'abord l'accueil des Noirs fugitifs. Puis il devint le chef de la guérilla en Virginie et projeta de constituer une véritable armée. En octobre 1859, avec d'autres rebelles, il lança une attaque contre l'arsenal de l'armée des États-Unis à Harpers Ferry. Condamné à mort et pendu en décembre de la même année, Brown devint une légende... Quand deux ans après sa mort, la guerre de Sécession éclata, les soldats du Nord composèrent une chanson le célébrant : *John Brown's body lies amouldering in the grave, but his soul goes marching in.* L'année suivante, Julia Ward Howe inventa sur le rythme et l'air de celle-ci un poème intitulé *The Battle Hymn of the Republic* qui devint l'un des plus célèbres chants patriotiques américains. Reprenant toujours la même mélodie, *John Brown's baby* semble être une parodie de cet hymne. Les personnages historiques qui intègrent le répertoire enfantin sont en effet bien souvent traités sur le mode parodique. Que l'on pense aux chansons françaises mettant en scène Napoléon, Guillaume ou le roi Dagobert !

Dans la version proposée ici, les enfants chantent la chanson en entier une première fois. Ensuite, ils remplacent un, puis deux, puis trois mots par un geste : pour *baby*, les petits miment le bercement ; pour *cold*, ils éternuent ; pour *chest*, ils se frappent la poitrine.

### Gobida gobidu
page 13

Les assonances (répétitions des voyelles) et les allitérations (répétitions des consonnes) de cette comptine ont beaucoup de succès auprès des enfants. D'une façon ludique, elles leur permettent d'exercer leur mémoire et d'améliorer la qualité de leur prononciation.

Comme dans *John Brown's Baby* et *Short'nin' bread*, on retrouve le thème de la maladie. La gaieté de la mélodie tempère la gravité du sujet. Ici, la jeune fille malade peut espérer guérir et même se marier.

*Gobida gobidu ben ben dibidu gob gobidabidu* joue le rôle d'une formule magique, aussi mystérieuse que le fameux *Am Stram Gram* et aussi imprononçable que le *Supercalifragilis ticexpialidocious* de Mary Poppins !

### Yankee Doodle
page 15

*Yankee Doodle* fut inventée par les soldats anglais pour se moquer des insurgés lors de la guerre d'Indépendance américaine (1775-1783). Mais lorsque les rebelles commandés par le capitaine Washington prirent l'ascendant sur les Anglais, ils se l'approprièrent et la chantèrent à leurs adversaires pour les humilier. Les paroles cocasses des auteurs – les militaires anglais Edward Bangs et Richard Shuckburgh – visaient le manque d'entraînement et de discipline des rebelles. *Yankee*, probablement issu du hollandais *Janke* (John), est un terme péjoratif utilisé par les Anglais pour désigner les insurgés. En effet, les Hollandais étaient très nombreux à la Nouvelle-Amsterdam (ancien nom de New York). *Doodle* est un terme désuet que l'on pourrait traduire par *idiot*, *demeuré* ou *simplet*.

Cette chanson de marche burlesque, à laquelle on a ajouté par la suite de nombreux couplets (près de 300 connus), est devenue l'une des plus populaires des États-Unis.

### The riddle song
page 17

Cette chanson traditionnelle des Appalaches, mélodieuse et nostalgique, daterait du XVII<sup>e</sup> siècle. Comme sa cousine *Qui peut faire de la voile sans vent ?*

et de nombreuses autres berceuses, elle s'apparente à une chanson d'amour. Ce glissement de la chanson d'amour vers la berceuse n'est pas surprenant quand on sait combien les mamans affectionnent le premier registre.

Le titre *The riddle song* (*chanson-devinette* ou *ballade à énigmes*) renvoie à un genre qui fut très populaire en Grande-Bretagne comme dans le reste du monde. Ces énigmes chantées pouvaient être très complexes, mais on disait qu'une bonne réponse pouvait apporter à celui qui la formulait chance et bonheur. On retrouve aussi des devinettes chantées en Afrique et dans les pays méditerranéens.

### Qui peut faire de la voile sans vent ?
page 17

D'origine suédoise, cette chanson poétique est un canon à trois voix (comme *Le coq est mort*).

Chanter en canon procure un grand plaisir musical aux enfants comme aux adultes. Cette première expérience de la polyphonie permet de goûter au bonheur de chanter ensemble. Il est conseillé de bien prendre le temps d'apprendre la mélodie. On la chante à l'unisson, jusqu'à ce qu'elle soit parfaitement mémorisée. On peut commencer ensuite le canon en le chantant une fois à l'unisson puis en désignant, tour à tour, les chanteurs qui démarrent.

Le canon peut se finir *pianissimo* ou bouche fermée, comme sur le disque.

### Rig-a-jig jig
page 18

Cette chanson traite de la rencontre amoureuse sur un ton badin et un air enlevé. On peut l'accompagner d'une

As I was walking down the street...

Heigh-ho, heigh-ho, heigh-ho!

Rig-a-jig jig and away we go...

As I was walking down the street...

gigue, danse d'origine britannique qui consiste en mouvements rapides des jambes, des talons et des pieds. Les enfants peuvent former deux rondes concentriques (par exemple, une ronde de garçons et une ronde de filles). Chacune tourne dans un sens différent. Lorsqu'ils entendent pour la première fois *heigh-ho*, ils brisent la ronde. Deux par deux, ils se tiennent par les mains, bras croisés, et tournent sur eux-mêmes jusqu'à la fin du refrain. Alors, les rondes se reconstituent. À chaque couplet, les rondes et les couples changent de sens. Outre le plaisir que cela procure aux enfants, cela leur évite d'avoir le tournis et leur apprend à maîtriser l'espace dont ils disposent sans gêner les autres danseurs.

### La fille du coupeur de paille
page 19

*La fille du coupeur de paille* est une chanson que l'on retrouve dans toutes les régions de France. Elle fut très populaire dans les cours de récréation jusqu'à la fin des années soixante-dix. Abordant elle aussi avec légèreté et entrain le thème des amours juvéniles, elle peut donner lieu à la même danse que sa cousine *Rig-a-jig jig*.

### Someone's in the kitchen with Dinah
page 20

Comme *Polly-wolly-doodle*, créée à la même époque, *Someone's in the kitchen with Dinah* fait référence à la construction du chemin de fer aux États-Unis. *Dinah* était le nom de l'une des premières locomotives.

Cette chanson présente aux enfants les instruments de musique – notamment le banjo, qu'ils peuvent s'amuser à mimer – et leurs sonorités.

### C'est Gugusse avec son violon
page 22

Très populaire en France, cette chanson met en scène un enfant qui rêve de s'amuser, de danser et qui conquiert son autonomie en passant outre l'interdiction parentale. L'autorité défiée est un thème récurrent dans le répertoire enfantin.

Les enfants sont invités à danser la polka. Les couples tournent sur un rythme qui va en s'accélérant. Les mouvements se répètent : pose du pied, rapprochement, pas sauté.

Ils peuvent aussi former une ronde. Celui qui reste au centre interprète Gugusse : il mime un joueur de violon. Quand le refrain commence, la ronde s'arrête. Gugusse choisit un(e) partenaire et, après avoir fait *non* avec l'index, ils se prennent la main et dansent librement dans le cercle. Au couplet suivant, les deux enfants restent dans le cercle. Il y a désormais deux Gugusse. Ensuite, il y en aura quatre, puis huit... jusqu'à ce que la ronde n'existe plus ! Les enfants aiment prolonger la chanson en remplaçant le violon par d'autres instruments. Mais il s'agit de pouvoir scander le nom de ceux-ci en trois temps : vi-o-lon, pi-a-no, gui-ta-re, etc.

### Jimmy crack corn
page 24

Dans sa version courte, *Jimmy crack corn* se danse ainsi. Sur le refrain, les enfants se tiennent par les épaules et forment une ronde, comme dans les *barn dances* (danses d'étable) des adultes. À chaque couplet, ils se séparent et rejoignent le centre du cercle en levant la main droite, la main gauche ou les deux, puis ils reculent et reforment le cercle.

Née en Virginie du Nord avant le début de la guerre de Sécession, cette chanson évoque un esclave – le narrateur – et son maître. *Jimmy crack corn* est attribuée à Daniel Emmett, auteur populaire de chansons sentimentales et apolitiques sur le Sud, membre des Virginia Minstrels. Les *minstrel's shows* étaient des farces traditionnellement jouées par les esclaves des plantations pour ridiculiser leurs maîtres.

Dans le refrain originel écrit en *black english*, on trouvait d'ailleurs l'expression *Ole Massa gone away* au lieu de *My master's gone away*. Ce refrain peut sembler absurde. N'est-il basé que sur un jeu de sonorités (*crack/corn/care*) ? Que veut dire *crack corn* ? Croquer du maïs ? Selon certains, *crack corn* pouvait autrefois signifier : déboucher une bouteille de liqueur de maïs...

Jimmy crack corn and I don't care...

C'est Gugusse avec son violon
Qui fait danser les filles...

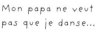

Mon papa ne veut pas que je danse...

Il dira ce qu'il voudra, moi je danse...

Right hand up and I don't care...
Left hand up...
Both hands up...

À droite,

à gauche...

Regarde de-ci,
Regarde de-là...

Prends ma main
et viens danser...

L'autre main
et puis changez...

### À droite, à gauche
page 25

Cette comptine aide les enfants à se familiariser avec la latéralité et à se concentrer.

Au début de la comptine, ils sont par deux, face à face. En suivant les paroles, chacun tape dans la main (la droite, puis la gauche) de son partenaire. Ensuite, les enfants se donnent la main et tournent dans le sens des aiguilles d'une montre. Enfin, ils changent rapidement de main et tournent en sens contraire.

### Apples and bananas
page 26

Cette chanson utilisée à l'école pour repérer les phonèmes et découvrir les voyelles donne surtout l'occasion aux petits d'improviser autour des sons. À la manière de notre célèbre *Buvons un coup, ma serpette est perdue !* que nous déclinons en *Bavas a ca, ma sarpatt'a parda...*

### Tous les légumes
page 27

Les enfants, volontiers animistes, apprécient beaucoup cette comptine à danser qui présente de drôles de légumes tout en mouvement.

Les enfants sont invités à mimer les personnages en chantant : ils tournent en rond, trottent, valsent et se dandinent. Ils sautent sur place pour marquer le redoublement de la syllabe à la fin de chaque phrase.

### Hush, little baby
page 29

*Hush, little baby* donne la parole au papa, généralement moins présent dans les berceuses que la maman. Celui-ci exprime sa fierté d'être père. Rien n'est trop beau à ses yeux pour son petit, qu'il rêve de couvrir de cadeaux...

Le choix des présents (le bouc, le char à bœufs, la voiture à cheval, etc.) nous donne par ailleurs un aperçu de ce qui constituait alors la vie des premiers *settlers* (colons).

Oh where has my
little dog gone?

With his ears
cut short...

and his tail cut long...

### Oh where has my little dog gone?
page 30

Écrite et composée par Septimus Winter, cette petite chanson à mimer a connu immédiatement un grand succès populaire. Comme sa cousine française *Mon petit lapin*, elle amusera avant tout les plus petits.

Avec beaucoup de tendresse, elle évoque la disparition d'un animal familier, cher au cœur de l'enfant. Comme sa lointaine héritière *Mirza* (chanson de Nino Ferrer), elle n'est pas exempte d'humour... ni même d'absurdité !

### Mon petit lapin
page 31

*Mon petit lapin* plonge le tout-petit dans l'univers de la ferme et l'invite à

s'identifier au lapin fugitif en adoptant la fameuse gestuelle liée à la comptine !

On connaît une autre version de cette chanson :

*Un petit lapin*
*Est caché dans le jardin*
*Cherchez-moi coucou, coucou,*
*Je suis caché sous un chou.*
*Lissant sa moustache,*
*Le fermier passe et repasse*
*Mais il ne voit rien du tout*
*Lapin a mangé le chou.*

Mon petit lapin s'est
sauvé dans le jardin

Remuant son nez, il
se moque du fermier...

Mais ne trouve rien
du tout, et lapin mange
le chou

Cherchez-moi coucou,
coucou, je suis caché
sous un chou

Tirant ses moustaches,
le fermier passe
et repasse

### Short'nin' bread
page 32

Issue du répertoire des Negro Spirituals, la chanson *Short'nin' bread* fut inventée par les esclaves des plantations du Sud.

Elle évoque, en les dédramatisant, les problèmes de malnutrition que rencontraient ces familles pauvres, et les solutions que tentait d'y apporter la médecine de l'époque.

Le *short'nin' bread*, terme difficilement traduisible, est une sorte de gâteau, à base de beurre, de farine et de sucre roux. Cette recette bon marché permettait de subvenir momentanément aux besoins nutritionnels des enfants affaiblis.

L'intérêt et le plaisir de cette chanson résident dans son rythme. On peut inciter les enfants à le suivre en tapant dans leurs mains afin de les initier au gospel.

### Go tell Aunt Rhody
page 34

En France, on dit que « dans le cochon, tout est bon ». Aux États-Unis, au temps des premiers colons, c'est à l'oie que revenait ce rôle d'animal providentiel.

L'oie était recherchée tant pour ses plumes, sa matière grasse que pour la nourriture qu'elle offrait. Les enfants apprenaient même à l'école comment la plumer !

Cette mélodie toute simple, construite à partir de cinq notes, est très facile à jouer à la flûte à bec. Elle serait issue du *Devin du village*, opéra-ballet de Jean-Jacques Rousseau.

### Le coq est mort
page 35

*Le coq est mort* est une traduction de la comptine allemande *Der Hahn is tot.*
Nombreuses sont les comptines, en France comme ailleurs, qui mettent en scène des gallinacés.

Aborder *Le coq est mort* peut être l'occasion de faire découvrir aux enfants les cris des animaux dans différentes langues. Ainsi, le coq fait *cocorico* en français, *kikiriki* en allemand,

*cock-a-doodle-do* en anglais, *koukérikou* en russe, *coucoucoucou* en arabe et *coucoucou* en chinois !

Souvent chantée en canon, *Le coq est mort* annonce la mort d'un animal domestique. Comme *Go tell Aunt Rhody,* la chanson évoque aussi le deuil à faire : il faudra s'habituer à ne plus entendre le coq chanter. Toutes deux permettent donc d'initier l'enfant à une notion difficile et abstraite, et lui offrent des mots pour exprimer son ressenti.

### Five little chickadees
page 36

Les *chickadees* décrites ici sont une espèce particulière de mésange, dont les plumes, noires au niveau des yeux, forment comme un masque.

La comptine apprend à l'enfant à compter et à décompter en s'aidant de ses doigts.

Pour la danser, cinq enfants sont placés côte à côte. À chaque couplet, un enfant s'échappe définitivement de la

formation en agitant les bras comme s'il s'agissait d'ailes.

### Cinq mésanges vertes
page 37

Figures essentielles de la tradition orale, on retrouve ici cinq mésanges, cette fois confrontées à un loup. Cette situation rappelle celle du conte traditionnel *Le Loup et la mésange.*

On peut reprendre ici la gestuelle de *Five little chickadees* ou mimer la comptine avec les deux mains : avec les cinq doigts de l'une, on figure les cinq mésanges ; avec l'autre, la gueule du loup.

### Polly-wolly-doodle
page 38

D'apparence loufoque et saugrenue, *Polly-wolly-doodle* est une de ces comptines construites en dépit du sens à partir de purs jeux langagiers et qui amusent tant les enfants.

Historiquement, le *railroad* dont il est question évoque sans doute la ligne construite à la fin du XIXᵉ siècle, qui reliait Memphis (Tennessee) à La Nouvelle-Orléans (Louisiane, terre de Susy Anna).

### Bonsoir, Madame la Lune
page 40

Pourquoi chante-t-on *Mister Moon* en anglais et *Madame la Lune* en français ? Cette comptine, comme la suivante, permet de sensibiliser les enfants à la place des genres dans différentes langues. Dans les langues anglo-saxonnes, les planètes sont toujours désignées par le masculin.

Le genre n'est pas déterminé par des critères logiques. En effet, dans la plupart des cultures, la lune, de par sa forme et sa position dans le système solaire, symbolise le principe féminin.

Liée à la féminité, mais aussi, bien évidemment, à la nuit et à l'imaginaire, on la retrouve dans nombre de poèmes et de berceuses, dont les célèbres *Au clair de la lune* et *Hijo de la luna*.

### Mister Sun
page 41

Le symbolisme du soleil est inséparable de celui de la lune qu'il éclaire. Les deux astres sont invoqués dans cette chanson comme puissances tutélaires mais surtout comme figures familières. Les enfants découvrent, grâce aux paroles, l'utilité du soleil et de la lune et l'influence qu'ils ont chacun sur la végétation (tous deux font mûrir des fruits) et le comportement humain (le soleil rassure, la lune et la nuit font peur).

Pour cette chanson, comme pour la précédente, les enfants peuvent confectionner des astres en carton. Pour les plus grands, on peut transformer les dessins en mots écrits sur des petits cartons (*flashcards*). Cela permet de les préparer à l'apprentissage de la lecture. Ils utiliseront ces accessoires au moment indiqué dans la chanson. Ils apprendront ainsi de façon ludique à associer un mot avec une image et recevront leur première leçon d'astronomie !

# LES TRADUCTIONS

## ANGLAIS > FRANÇAIS

**Do your ears hang low? p. 4**

Vos oreilles tombent-elles,
Se balancent-elles ?
Pouvez-vous les attacher,
Ou bien les nouer ?
Les jeter par-dessus l'épaule
Comme un soldat européen ?
Vos oreilles tombent-elles ?

Retrouvez la version française
de *Do your ears hang low* (différente
de cette traduction littérale)
dans les commentaires p. 45.

**The bear went over the mountain p. 6**

L'ours est allé au sommet
de la montagne (ter)
Et devinez ce qu'il a vu (ter)
Il a vu une autre montagne (ter)
Et devinez ce qu'il a fait (ter)
Il a escaladé l'autre montagne (ter)
Et devinez ce qu'il a vu (ter)

**Skip to my Lou p. 8**

Saute, saute, saute à cloche-pied
ma Lou (ter)
Saute à cloche-pied ma Lou,
ma chérie !
J'ai perdu ma partenaire, que vais-
je faire ?...
J'en trouverai une autre, plus jolie...
Y'a des mouches dans le sucrier,
oust, oust, oust...

**Bingo p. 10**

Un fermier avait un chien
Qui s'appelait Bingo-O
B-I-N-G-O (ter)
Il s'appelait Bingo-O

**John Brown's baby p. 12**

Le bébé de John Brown a un gros
rhume
Ils l'ont donc frictionné avec du
camphre

Du camphre et fric, et fric,
et frictionné
Ils ont donc appliqué du camphre
et frictionné

**Yankee Doodle p. 15**

Yankee Doodle vint en ville
Monté sur un poney
Il mit une plume à son chapeau
Qu'il appela « Macaroni » !
Yankee Doodle, ne t'arrête pas
Yankee Doodle, dandine-toi
Suis la musique, danse en mesure
Et sois galant avec les filles !
Papa, capitaine Gooding et moi
Sommes allés au camp
Tant de garçons y'avait là
C'était dense comme du pudding
Et il y avait là le capitaine
Washington
Monté sur un superbe étalon
Donnant des ordres à ses hommes
Je crois bien qu'ils étaient un million

**The riddle song p. 17**

J'ai donné à ma mie une cerise
sans noyau
J'ai donné à ma mie un poulet sans os
J'ai raconté à ma mie une histoire
sans fin
J'ai donné à ma mie un bébé
sans pleurs
Quand elle est fleur, la cerise
n'a pas de noyau

Quand il est œuf, le poulet n'a pas d'os
Notre histoire d'amour n'a pas de fin
Quand il dort, le bébé ne pleure pas

**Rig-a-jig jig p. 18**

En descendant la rue
La rue, la rue,
J'ai rencontré par hasard
une jolie fille
Ohé, ohé, ohé !
Dansons la gigue et en avant
En avant, en avant,
Dansons la gigue et en avant
Ohé, ohé, ohé !
En descendant la rue
La rue, la rue,
J'ai rencontré par hasard
un garçon charmant
Ohé, ohé, ohé !

**Someone's in the kitchen with Dinah p. 20**

Y'a quelqu'un dans la cuisine
avec Dinah
Y'a quelqu'un dans la cuisine,
j'en suis sûr
Y'a quelqu'un dans la cuisine
avec Dinah
Qui gratte le vieux banjo
Et qui chante
Fee, fie, fiddle-ee-i-o...
Et qui chante
Fee, plonk, fie, plonk, fiddle-ee-i-o,
plonk...

**Jimmy crack corn p. 24**

Jimmy croque du maïs et je m'en
moque (ter)
Mon maître s'est absenté
Main droite en l'air et je m'en
moque...
Main gauche en l'air et je m'en
moque...
Les deux mains en l'air et je m'en
moque...

**Apples and bananas p. 26**

J'aime manger, manger, manger
des pommes et des bananes (bis)
J'ème mangè des pèmmes
et des bènènès (bis)
J'ame mangea des pammes
et des bananas (bis)
J'ime mangi des pimmes
et des bininis (bis)
J'ome mangeo des pommes
et des bononos (bis)
J'oome mangeoo des poomes
et des boonoonoos (bis)

**Hush, little baby p. 29**

Doucement, mon petit, ne dis rien
Papa t'achètera un merle moqueur
Et si le merle moqueur ne veut pas
chanter
Papa t'achètera une bague
en diamants

Et si cette bague est en toc
Papa t'achètera un miroir
Et si ce miroir casse
Papa t'achètera un bouc
Et si ce bouc refuse de travailler
Papa t'achètera un char à bœufs
Et si le char à bœufs se renverse
Papa t'achètera un chien appelé
Rover
Et si Rover le chien refuse d'aboyer
Papa t'achètera une voiture
à cheval
Et si le cheval tombe avec
sa voiture
Tu seras toujours le plus beau petit
bébé de toute la ville !

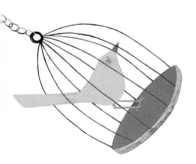

### Oh where has my little dog gone? p. 30

Où, mais où est passé mon petit
chien ?
Où, où donc peut-il bien être ?
Avec ses oreilles coupées courtes
et sa queue coupée longue
Où, mais où est-il donc passé ?

### Short'nin' bread p. 32

Trois petits enfants étaient alités
Deux étaient malades et le troisième
mourant
On est allé chercher le docteur,
le docteur a dit :
« Donnez à ces enfants de la galette
au beurre ! »

Le petit bébé à sa maman adore
la galette au beurre (bis)
Faites chauffer la poêle, mettez
le couvercle
Maman va faire cuire des galettes
au beurre
Et ce n'est pas tout
Elle va aussi faire du café

### Go tell Aunt Rhody p. 34

Va dire à tante Rhody (ter)
Que sa vieille oie grise est morte
Celle qu'elle gardait (ter)
Pour faire un matelas en plumes
Elle est morte dans l'étang (ter)
La tête dans l'eau

### Five little chickadees p. 36

Cinq petites mésanges pépiaient
à la porte
L'une s'est envolée, il n'en reste plus
que quatre
Piou, piou, heureuse et joyeuse
Piou, piou, s'est envolée !
Quatre petites mésanges perchées
sur un arbre...
Trois petites mésanges te regardaient...
Deux petites mésanges se prélas-
saient au soleil...
Une petite mésange tout esseulée...
Elle s'est envolée et il n'en reste plus

### Polly-wolly-doodle p. 38

Une sauterelle assise sur des rails
Chantait « Polly-wolly-doodle »
toute la journée
Elle se curait les dents avec un clou
de tapissier
En chantant « Polly-wolly-doodle »
toute la journée
Au revoir, au revoir,
Au revoir ma douce
Je m'en vais en Louisiane
Pour retrouver ma Suzy Anna
En chantant « Polly-wolly-doodle »
toute la journée

Derrière la grange, à genoux,
Je chantais « Polly-wolly-doodle »
toute la journée
J'ai cru entendre un poulet éternuer
En chantant « Polly-wolly-doodle »
Sa coqueluche l'a fait éternuer très fort
En chantant « Polly-wolly-doodle »
toute la journée
Il a perdu la tête et la queue
En chantant « Polly-wolly-doodle »
toute la journée

### Mister Sun p. 41

Ô Monsieur le Soleil, Monsieur
le Soleil d'or
S'il vous plaît, venez m'éclairer
Ô Monsieur le Soleil, Monsieur
le Soleil d'or
Qui se cache derrière un arbre !
Ces petits enfants vous demandent
De sortir pour pouvoir jouer avec
vous
Ô Monsieur le Soleil, Monsieur
le Soleil d'or
S'il vous plaît, venez m'éclairer
Ô Madame la Lune, Madame
la Lune d'argent
S'il vous plaît, venez m'éclairer
Ô Madame la Lune, Madame
la Lune d'argent
Sortez de derrière cet arbre !
J'aime vagabonder, j'aime rouler
ma bosse
Mais j'aime aussi rentrer à la maison
Quand la lune, Madame la Lune
d'argent
Vient m'éclairer

### La bête malibête p. 5

Evil beast fills us with dread
Skin of its back piled over its head
Tail upended
Horn askew
If you go in, it will eat you!

### Nous n'irons plus au bois p. 9

We won't be going to the woods
again
Because the laurel trees have been
trimmed
That pretty lady there
Has gathered the branches
Come and join the dance
See how we dance
Skip, dance
Kiss whoever you want
Shall we let that pretty lady
Join in our dance,
And those laurel trees in the woods
Shall we let them wither?

### Mon marronnier p. 11

I was resting under my
chest-nut tree
The other day
When the mosquitoes came
and bit me
I had to leave
My chest-nut tree

### Gobida gobidu p. 13

My father had a field of peas
Ben dibidu gob gobidabidu
My father had a field of peas
Gobida gobidu ben ben dibidu
Gob gobidabidu
Every morning I ate three...
Then I was ill for three months...
Three doctors came to see me...
The first one said that I would die...
The second one said that I would
get better...
The third one said that I would get
married...

Who can sail without wind?
Who can row without oars?
Who can leave a loved one
Without shedding a tear?
I can sail without wind
I can row without oars
But I can't leave my loved one
Without shedding a tear

Walking along the path I chanced
to meet
The corn-cutter's daughter
Walking along the path I chanced
to meet
The corn-cutter's daughter
Yes, indeed, I chanced to meet
The corn-cutter's daughter
Yes, indeed, I chanced to meet
The corn-cutter's daughter

It's Gugusse
With his violin
Who has the girls dancing
It's Gugusse
With his violin
Who has the girls dancing
with the boys

My father doesn't want
Me to dance, me to dance
My father doesn't want
Me to dance the polka
But he can say what he wants
I'm dancing, I'm dancing
He can say what he wants
I'm dancing the polka!

To the right, to the left
Look here, look there
To the right, to the left
Here again, there again
Take my hand and dance with me
Round and round, moving lightly
The other hand, then change again
And dance away so joyously

All the vegetables
Were having fun together
In the moonlight–ite
They were enjoying–ing
Themselves so much–uch
That passers-by stopped to
watch–atch
A pickle was spinning
A potato was jumping
High into the air–air
An artichoke was skipping
A turnip was waltzing quietly
And the cauliflower
Was strutting around eagerly–y!

My little rabbit ran off
into the garden
Yoo hoo, yoo hoo come and find
me, I'm hiding under a cabbage
He's twitching his nose and making
fun of the farmer
Yoo hoo, yoo hoo come and find
me, I'm hiding under a cabbage
The farmer's tugging at his moustache as he comes and goes

But he can't find the rabbit and the
rabbit eats the cabbage

The rooster is dead (bis)
He won't be singing "Cock-a-
doodle-doo" any more (bis)
"Cock-a-doodle-doo" (bis)

Five green chickadees
Doing somersaults
One broke its paw
Then there were four
Four green chickadees
Sitting on a little branch
One flew away
Then there were three
Three green chickadees
Were going to a party
One got its tail stuck
Then there were two
Two green chickadees
Singing their heads off
The moon came out
Then there was one

One green chickadee
Sad and lonely
But along came the wolf
Then there were none

Good evening, Mrs Moon
What are you doing here?
I'm ripening the plums
For the little children to eat,
Good morning, Mr Sun
What are you doing here?
I'm ripening the gooseberries
For the little children to eat.

Ⓟ & © Didier Jeunesse, Paris, 2007
8 rue d'Assas, 75006 Paris – www.didierjeunesse.com
Suivi éditorial et partitions : Anne-Valérie Guerber
Création et réalisation graphiques :
Stéphanie Charpiot-Desbenoit et Claire Robert
Photogravure : Arts Graphiques du Centre et RVB
Impression : Imprimerie Clerc

ISBN : 978-2-278-05704-7 – Dépôt légal : 5704/02
Achevé d'imprimer en France en décembre 2008
Loi n° 49-956 du 16 juillet 1949
sur les publications destinées à la jeunesse